凡人の提案する自分発見の

「待ち伏せ勉強法」

浜口哲朗
HAMAGUCHI Tetsuro

文芸社

はじめに

　勉強法のようなものを書く人は、たいていは素晴らしい記憶力と才能の持ち主で、私のような凡人は、その内容にただただ感心するばかりです。けれど、そうした本はあまり参考にはならないのが通り相場でもあります。

　そのような私が、恥を覚悟で勉強法の本を書くのは、ほんの少しの成功例があったからです。

　私は昭和18年（1943）の生まれです。太平洋戦争が始まってから2年目になるところで、その前の年にはミッドウェー海戦で日本が敗北。そして私が生まれた昭和18年には、山本五十六がブーゲンビル島の上空で、アメリカ軍の戦闘機群に待ち伏せされ、戦死しています。

　終戦後、幼稚園に入園しましたが、私自身には幼稚園に通ったという記憶が全くありません。小学校にあがったときには、私はひらがなもカタカナも読めませんでした。小学校は2部授業で、まだ給食はなく、初めての給食は3年生の時でした。コッペパンと脱

脂粉乳がご馳走でした。

　冷や汗ものの話ですが、ある日、まだ授業があることを忘れて、クラスで私だけが家に帰ってしまったことがありました。友達が家まで呼びに来て、「まだ授業あるよ」と教えてくれて、私はびっくりして学校に戻りました。授業は図工だったので、図工室に向かいましたが、クラスの全員が何事もなかったように整然と作業しているのをはっきり記憶しています。けれど、その時の図工の授業の内容は記憶にありません。

　私が「地球が丸い」ということを知ったのは小学5年生の時でした。ものすごいショックを受けた私は、学校中を走り回りました。ガリレオ・ガリレイが、当時の主流だった天動説に反して、「地球は太陽の周りを回っている」というコペルニクスの地動説を支持し、唱えたために、裁判にかけた人々の気持ちがよくわかりました。同じく小5の時に、1学年が3学期あるのを知りました。

　中学、高校の時の勉強法は、試験の時期が迫ってきたら渋々と始め、試験が終わったら覚えたことはすっかり忘れてしまうという状態で、大学でも基本は同じでした。しかし社会に出ると、全く状況は違っていま

した。

入社した当初、会社から電算機メーカーIBMの東京本社へプログラミングの研修に行かされ、帰ってきたらすぐに技術部の各課長以下を集めた「プログラミング講習伝達会」の講師として横展開を命じられたのです。そのため、習得したことを忘れるのは許されません。すぐ仕事に役立てなければならないからです。

さらに20代後半の時、飛行機の自家用操縦士の免許を取るために、操縦訓練を自腹で受けることにしました。その動機は中学時代に読んだ戦記物の本で、記述の内容に納得のいかないことがあったからです。その本は、日本陸軍の戦闘機「飛燕」に搭乗した人の、ニューギニア島での戦いを描いたもので、ニューギニア島のポートモレスビーにあった米軍基地と、オーエンスタンレー山脈を挟んだ日本軍のラエ基地との空中戦の話でした。

その戦いの中で、日本の飛燕が米軍戦闘機の背後から近づいて一撃を加えると、敵は驚いて急旋回で逃げようとしますが、苦し紛れに旋回をすると逆に標的が大きくなり、さらにこちらに近づくため、次の射撃で全弾が敵機に命中し、火だるまになって落ちていった

という記述がありました。

　地上では、逃げる時にはまっすぐ逃げる方が銃で撃たれる危険が高まり、曲がる方が有利なはずなのに、なぜ戦闘機は逃げる時に旋回すると命とりになるのだろう……と、私はずっと疑問に思っていたのでした。

　飛行機の訓練が始まると、覚えることがたくさんあり、しかも、一度覚えたことを忘れるのは許されません。例えば、滑走路への進入方法とか、滑走路の番号の意味、無線の取り扱い方、英語での管制官とのやり取りなどです。

　教官には若い人もいて、大声で注意されたり、操作の仕方を教わったりしました。教官の中には元零戦のパイロットが３人もおられ、その方々からも操縦を教わりました。不思議なことですが、上空で錐もみ、失速、緊急着陸の訓練で、元零戦乗りの一言一言が今でも私の記憶にはっきりと残っており、若い教官から元気な声で注意されたことは、すっかり忘れています。

　先の、ニューギニアの戦記物の旋回の件ですが、飛行訓練をする中で、あっさり解決、納得しました。

　滑走路を右手に見ながら、私の練習機は時速約200kmで飛んでいて、前を飛んでいる飛行機と同じ速

度で追従している状況でした。そして、前の飛行機が右に旋回した時、私の練習機は時速約200kmのまま、前の飛行機に追突するのでは？　と思えるほど近づいたように感じたのです。その理由は、前の飛行機は旋回中のため、私の飛行機の向かう方向の速度と比べると、弧を描くために遅くなるからです。前を行く飛行機は旋回中、まるで真上から見るように大きくなって見えました。これで、今までの疑問が解けたのです。

　さて、話を元に戻しましょう。会社の仕事と飛行機の操縦訓練とで、記憶しなければならないことが急に増え、そこで苦しまぎれに工夫したのが、「エビングハウスの忘却曲線」をヒントにした方法でした（「エビングハウスの忘却曲線」については本文中でご説明します）。これは、記憶を繰り返すタイミングの日にちをあらかじめ決めて、記憶するポイントをノートに書いて覚えるという方法で、私はこのノートを勝手に「エビノート」と名付けました。

　この記憶法を若い人たちに伝えられたら……と考えて、定年後に個別指導塾の講師になり、この方法を教えてみると、理解して実践してくれた一部の生徒は効

果を見せてくれました。しかし、その数が予想に反して少ないのには落胆でした。

　そこで、本にして残しておけば、多くの人の目に触れて何かのヒントになるのでは……との思いで、本書を書いた次第です。

凡人の提案する自分発見の
「待ち伏せ勉強法」

目　次

第1章

「待ち伏せ勉強法」のやり方

「エビノート」の作り方と実践法

　普通の平凡な学生にとって、勉強は中間試験が近づいたら始めて、試験が終われば勉強はやめる。次は期末試験が近づいたらまた勉強を始め、試験が終われば勉強はストップ、というパターンが多く、私も同じでした。しかし社会に出ると、このパターンは許されません。勉強したことはすぐに次の日からずっと使うことになるし、記憶が不十分なら繰り返し勉強させられ、ものにならなければ配置転換になることもあります。

　そこで、将来のために勉強してせっかく覚え、理解したものを忘れないように、繰り返すやり方を提案します。

　それは、「エビングハウスの忘却曲線」をヒントにしたものです。

　「エビングハウスの忘却曲線」というのは、ドイツの心理学者ヘルマン・エビングハウスが、実験をおこなって導き出したもので、「記憶した内容は1日以内に70%以上を忘れてしまい、そこからは忘却のスピー

ドは緩やかになる」というもので、ここから、記憶したことを「復習」する適切なタイミングがわかるのです。

　では、私の提唱する「待ち伏せ勉強法」、そして「はじめに」でもご紹介しました「エビノート」の使い方をお教えします。

　まず、覚える項目、理解する項目、考えるテーマなどを、質問形式でB7判6穴ルーズリフノートに書き、その答はノートの裏に書いておきます。これは、答をすぐには見られないようにするためです。表に書いておくと、本当は忘れているのに、答が目に入って「自分はちゃんと覚えていた」と、ずるい錯覚を起こすからです。誰にでもずるい心はあるものです。

　表のノートの欄外には、作成した日付を書きます。そして、その質問に回答できたら、「次の日」の日付を書きます。これは、問題を書いた時はもちろん答がわかっていますが、「エビングハウスの忘却曲線」のとおり、1日後にはかなり忘れているので、それを防ぐためです。つまり"待ち伏せて"忘れを防ぐのです。

次に、翌日にもし忘れていたら、その日付の下に横線を引きます。

忘れていなければ、3日後の日付を書きます。

3日後に確認して、忘れていなければ、次に7日後の日付を書きます。

7日後に確認して、忘れていなければ、次にさらに7日後の日付を書きます。

7日後に確認して、忘れていなければ、次に10日後の日付を書きます。

10日後に確認して、忘れていなければ、次に20日後の日付を書きます。

20日後に確認して、忘れていなければ、次に1ヵ月後の日付を書きます。

1ヵ月後に確認して、忘れていなければ、次にさらに1ヵ月後の日付を書きます。

1ヵ月後に確認して、忘れていなければ、次に2ヵ月後の日付を書きます。

2ヵ月後に確認して、忘れていなければ、次にさらに2ヵ月後の日付を書きます。

2ヵ月後に確認して、忘れていなければ、次にさら

に2ヵ月後の日付を書きます。

その2ヵ月後に確認して、忘れていなければ、これで終了となり、この問題は「記憶に残った」ことになります。

1つの項目に約10ヵ月程度かかります。しかし、実際に問題や質問に答えている実時間は、約10ヵ月のトータルで30分以内です。

この"待ち伏せ"のタイミングは、人によって異なると思います。AIを取り入れれば、個人個人の最適な待ち伏せのタイミングが計算できると思いますが、これは今後の課題でしょう。

実際に私がこのタイミングでやると、内容によっては忘れてしまうものもたくさんあります。その時は、前述したように、待ち伏せした日付の下に線を引きます。ただし、線の数は4本までで、それ以上は数えません。覚えられるまで繰り返すのみです。

けれど、本当に記憶に入らないものがあります。そのような時は、逆にチャンスと考え、「これを記憶すれば未知の自分発見だ！」と考えることにしています。事実、私は今まで知らなかった新しい自分に出会いま

した。

　私の場合、隙間時間を見つけては、この「エビノート」を見ていました。現在は塾で教えていることもあり、どこにでも「エビノート」を持っていき、電車の中などでも確認しています。忘れ防止の待ち伏せの問題項目が待っているからです。

　以下の図－1、図－2は、エビノートの実例です。

　　　図－1　　　　　　　　　　図－2

　もう1つ、ポイントです。「エビノート」の後半で2ヵ月間隔を開けるところで、思い出せないものが出た時は、新たに、10日間隔の「エビノート」を作ります（図－3、図－4参照）。

図－３   図－４

　ノートの右上には笑顔マークを書いています（図－
１、図－３）参照。
　図－５は、２ヵ月先までのエビノート全数です。

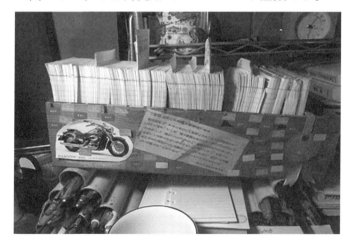

図－５

この「待ち伏せ勉強法」は、やがて新しい項目を加える時間がなくなる限界が来ます。忘れないための見直しに時間を取られるためです。そういう場合は、それが自分の能力の限界だと、すっぱりあきらめます。そして、自分の限界まで到達したのは、ある意味すごいことですから、自分を褒めてやります。

勉強の大きな壁

　勉強の大きな壁は、私の経験では2つあります。

　1つ目は、勉強を始めることです。私をはじめ多くの人は、試験が近づくと、試験範囲を友達に確認して、次に教科書はどこにあるか探し、それから机の上を整理して……と、なかなか勉強を始めることができません。

　2つ目は、忘れてしまうということです。覚えてもすぐに忘れるので、できるだけ試験の直前に勉強して、試験が終われば、せっかく覚えたことも、繰り返さないためきれいさっぱり忘れるというパターンです。実際にこのように考えている生徒とその親御さんが多くいます。私もそうでした。

　学生たちに勉強をさせるために、中間試験や期末試験という"手段"があるのに、手段である試験が"目標"になってしまい、試験さえ良い点を取れば……と考えるようになると、本当の勉強の目標である「記憶しておくこと」とはかけ離れてしまうことになります。

勉強しても、すぐ忘れてしまうのは当たり前のことです。エビングハウス博士の実験でも、何かを覚えても、その後の 20 分で、覚えたことの 42％は忘れてしまうという結果が出ています。

　しかし逆に、人間にこの忘却の機能がなければ、テレビを見たり新聞を読んだりして見知ったことや、街を歩いていてすれ違った人々の顔などを、全部覚えてしまうことになり、脳は記憶する必要のないもので、すぐにパンクしてしまうでしょう。

　脳は忘れる機能があるために、逆に繰り返し覚えることで、「これは特別のことだ」と脳が認識して、必要記憶の予備軍として扱ってくれます。しかし、あくまでも“予備軍”なので、やはり忘れる方向に向かいます。でも、覚えている時間は伸びます。さらに繰り返すと、覚えている時間はさらに伸びます。この「忘れる時間」と「記憶の保持時間」の関係は、人によって異なるでしょう。

　記憶の不思議さは、たった一度の体験でも、生涯忘れないことが誰にでもあるということです。それはほとんどの場合、心が激しく揺さぶられた時です。しかし、普通の勉強で心が激しく揺さぶられることはめっ

たにありません。だから勉強は、繰り返し覚えること
が必要なのです。それも、忘れるタイミングを予想し
て待ち伏せて、忘れないうちに繰り返すことが大切な
のです。

"待ち伏せ"の効果

　ライオンは、自分よりも足の速いインパラを捕らえる時は、あらかじめインパラの逃げ道に、仲間のライオンを待ち伏せさせておきます。結果、インパラは待ち伏せていたライオンに捕らえられます。もちろん、ライオンがインパラの逃げ道を正確に判断できることが条件です。

　日本の歴史にも、待ち伏せの効果が発揮された実例があります。1905年、日露戦争の時の日本海海戦です。

　ロシアのバルチック艦隊が日本に向かっていました。艦隊の数では日本の完敗が予想されていて、マラッカ海峡を通過するバルチック艦隊を見たアジアの人々は、これで北東アジアにある日本という小さな国がロシアに滅ぼされる……と本気で信じていました。しかし、日本海軍は対馬沖でロシア艦隊を待ち伏せ、世界の予想に反して完勝したのです。

　また逆に、太平洋戦争時の1942年のミッドウェー海戦では、日本の空母艦隊はアメリカ海軍より、数で

もパイロットの技量でも勝っていました。しかしアメリカ海軍に待ち伏せされ、日本は空母4隻を一度に失う完敗となりました。

さらに、「はじめに」でも述べましたが、1943年には、海軍の山本五十六長官が、アメリカ軍の双胴双発戦闘機P-38の16機に、ブーゲンビル島上空で待ち伏せされて戦死しています。山本長官の搭乗する機には、護衛の零戦が6機ついていたのですが、守り切れなかったのです。

アメリカ軍は山本五十六長官が時間に厳格なことを知っていました。米軍は待ち伏せ場所までは約700km飛び、また同じ距離を帰らなければならないため、待ち伏せの時間は制限されているはずです。この作戦の成功の裏には、日本海軍の暗号電文がアメリカ軍に解読されていたことがあります。余談ですが、山本長官の残した言葉で「やってみせ、言って聞かせて、させてみて、褒めてやらねば、人は動かじ」が有名です。

このように逃げ足の速い、つまり、覚えてもすぐ忘れる記憶の敵に対して、「待ち伏せ勉強法」は効果があります。この"待ち伏せ"のために、日にちを設定

しているのです。日にちを設定しているため、勉強の最大の壁の1つである「始めること」も、苦労なしで簡単に克服できてしまいます。

　私は、朝起きると今日の待ち伏せの項目がすでに決まっているため、隙間時間を見つけては対応しています。もちろん、繰り返しの勉強をする強力な動機になります。今では毎日、約30〜50枚の「エビノート」の項目が私を待ち受けています。始めないわけにはいきません。

　宿題をやることが重要と言われますが、「待ち伏せ勉強法」の項目の方が必修なのです。なぜなら、宿題は既に記憶できているものが含まれることがありますが、「待ち伏せ勉強法」は、過去にできなかった項目や、知らなかった項目ばかりだからです。

なぜ勉強をするの？

　勉強は、試験で良い点を取るためにするのではありません。もちろん、良い学校に入るためでもありません。

　勉強を始める時の心の状態は、脳の指令に従っている状態です。心はコロコロ変わるから"心"と呼ばれているそうです。その心が、脳の指令下にあるということが重要なのです。コロコロ変わる心には、良い面も悪い面もあります。特に悪い面を抑えつける手段として、勉強は最適です。

　心の悪い面には、例えば、情念の邪心、拗ねる、僻み、妬みなどがあり、これらが脳の指令を狂わせ、悪意のある計画を立てて実行に移せば、犯罪にもつながってしまいます。「自分の良心に従って行動すること」とよく言われますが、それはとても難しいことです。江戸初期の高僧、沢庵和尚が記した『不動智神妙録』の中に、次のような歌があります。

　「心こそ、心迷わす心なれ、心に心、心許すな」

私は子供たちに塾で教えている時に、以上のような心と脳の関係を、ナポレオンが馬に乗ってアルプスを越えようとしている有名な絵（図－6）のレプリカを見せて、「ナポレオン＝脳の司令塔＝自分の意志」で、「馬＝心」だと説明しています。ナポレオンは右手で目標を指し示し、左手は馬（＝心）の手綱を握っていますが、何とも頼りない感じがあります。馬も暴れ気味で、ナポレオンの目標に反発しているようです。馬はナポレオンを振り落とそうと邪心を持っているのかもしれません。

図－6

　勉強の大きな壁は２つと述べましたが、勉強を邪魔するのは、実は「自分の心」です。勉強は自分の心を知る手段なのかもしれません。

　フランスの哲学者がこんなことを言っています。「人間は走っても馬には敵わない。泳いでもイルカには負ける。格闘でも熊には殺されるだろう。人間は進化の途中にあるのだ。適応してしまうと、そこで進化が止まる」と。では、人間のどこが未適応の進化の途中なのかというと、その哲学者によると、「心に邪心があるところが、進化の途中である」とのことです。ですから人間は、勉強をするということを通じて我慢や辛抱を身につけることが、進化の方向でしょう。

　これは既に述べましたが、この「待ち伏せ勉強法」で、今まで知らなかった自分を発見することがあります。すんなり記憶できるものと、なかなか記憶できないものがあるからです。

第2章

飛行機の操縦訓練

心に響いた話

「はじめに」にも書きましたが、私は中学生の時に読んだ戦記物の本の記述内容で、ずっと疑問に思っていたことがあることから、東京にある調布飛行場に行けば何かわかるのではないかとの思いで見学に行き、飛行機の自家用操縦士の免許を取るために、操縦訓練を受けることとなりました。

初めて小型機を目の前にした時は、こんな頼りない小さな飛行機に実際に乗るのか？　と、ちょっとびっくりしましたが、飛行機の操縦訓練にはお金がかかるし、体力・気力も必要だし、何よりも命の危険が伴います。それらを考えると、今の時期を逃して先延ばしにしたら不可能になるだろうと思い、勇気を振り絞り、挑戦しました。

初飛行の時の教官は赤羽さんという人で、お名前がいかにも“飛びそう”な感じだったのでよく記憶しています。最初は「慣熟飛行」とのことで、聞いただけでは意味がわかりませんでしたが、飛行記録に書か

れた漢字を見て納得しました。

　離陸は教官がやってくれました。調布飛行場の北へ
向かっての離陸で、エンジンがフル回転になると、あっ
けないほど簡単に地面を離れ、すぐに大空に向かって
いることに気がつきました。でも、機体はかなり揺れ
ていました。

　やがて機は大きく旋回して南に向かい、水平飛行に
なったら突然、教官が目の前にある操縦桿を指さして、
私に向かって、

「操縦をやれ」

　と言って、自分は操縦桿から手を離したのです。私
はそっと操縦桿を握りましたが、途端に教官から、

「右に傾いている」

　と言われました。ああ、そんなもんかなと思い、左
に操縦桿を動かしたら、今度は、

「頭が地面に突っ込んでいる」

　と言われ、素早く直すと今度は、

「左に傾いている」

　と、さんざんでした。

　しばらくすると横浜の港が見えてきて、東京湾の上
空に出ました。陸の上では機が上下に揺れるのですが、

洋上だと滑らかに飛ぶのには、ちょっと驚きでした。

　帰途になると、私は教官と話をしながら操縦桿を小さく右や左に、また前に後ろに動かしている自分に感動しました。そのことを教官に言うと、

「自転車に乗れる運動神経があれば、誰でも水平飛行はできます」

　とのことでした。

　別の教官の時には、相模湾の上空で旋回訓練をやりました。右へ旋回すると、プロペラのジャイロ効果で機の頭が下がるので、操縦桿を引く必要があります。反対に、左旋回だと機の頭が上がるので、操縦桿を前に押すことになります。これも不思議なことに、すぐに身についてしまうのです。

　教官が言うには、旋回360度をおこなった時に、うまく高度が維持できていると、自分の起こした空気の乱れに入ることになるので、機がブルブルと震えるとのことでした。私が何度かトライすると、自分の起こした気流に入れたようで、確かにブルブルを感じました。

　得意になっていると、教官は次に、

「60度バンクの旋回を体験するぞ」

　と、その説明をしてくれました。通常は 30 度バンクが最高で、60 度バンクだと体に 2G がかかります。教官の操縦で 60 度バンクの旋回に入ると、いきなりエレベーターで体が上に持ち上げられる感覚になり、急に視野が狭くなって、目の前の計器しか見えなくなってしまいました。どうやっても、直径 20cm ほどの円の視界しかありません。しかし、旋回が終わると視野は元に戻りました。

　今度は反対の旋回 60 度バンクに入ったら、なんと視野が狭くならないのです。教官が言うには、一度体験すると体がその感覚を覚えて、二度目には血圧を自動的に上げるので、頭の血液を体の下に流れにくくするとのこと。これは頭の記憶ではなく、いわゆる体が覚える記憶でしょう。

　泳げるとか自転車に乗れるということも同類だと思います。そしてこうした記憶は、決して忘れないという特徴があります。感動した景色なども、心に焼き付いて生涯忘れることがありません。

　冬期の調布飛行場の西には富士山が見えます。地上に立って見ている時は、ちょっと頭を雪化粧した姿が他の建物より高く見える程度です。しかし、飛行機で

離陸すると、その雪化粧をした富士山がぐんぐん上に登るように大きくなっていって、飛行機の高度を上げるに従って、まるでついてくるように見えます。この景色は一度見たら決して忘れることができません。

「エビノート」の活用を思い立つ

　基本の操縦訓練が終わると、利根川の河川敷にある大利根飛行場で、タッチアンドゴーの練習に入りましたが、今度は頭で覚えることが急に増えました。飛行機の事前点検項目で、まず驚いたのが、ガソリンを抜いて水分がないのをチェックすることです。牛乳瓶にガソリンを出して確認するのですが、そのためのコックが機体の下に付いています。そして、プロペラのチェック、エルロン（補助翼）の作動チェック、タイヤのチェック、エレベーター（昇降舵）の作動チェック、方向舵の作動チェックで、名前と実物との記憶を要求されます。

　ちなみに、飛行機の構造部品の名前には、英語はもちろんのこと、フランス語も意外と多いです。例えば、昇降舵のエレベーターは英語で、風防のキャノピー、補助翼のエルロンはフランス語で、対気速度を測るピトー管の「ピトー」は、発明者であるフランス人の名前です。

チェック項目は全て諳(そら)んじていなければなりません。頭で覚えることばかりです。その他にも、機体の構造、気象、航法、計算尺の取り扱い方、管制官との英語でのやり取り……記憶することが急激に増え、そこで私は「エビノート」の活用を思い立ったというわけです。

タッチアンドゴー訓練

　大利根飛行場での訓練の時、元零戦パイロットの教官に操縦を習いました。川上さんと青木さんです。

　調布飛行場から大利根飛行場まで飛行機で飛ぶのではなく、直接、大利根飛行場に行って訓練することになりました。

　ある日、タッチアンドゴーの訓練が終わって、飛行機を駐機場に置いてから機外に出た時のことです。別の訓練機が滑走路めがけてターンしたのを見て、青木さんが言いました。

「昔、零戦の訓練で、あのファイナルターンの時によく墜落事故が起きた」

　まるで独り言のように、私にそう教えてくれました。その目は遠くを見つめ、約1割が訓練の事故で亡くなった、とも言っていました。

　なぜそのような事故が起きるかというと、高度がある時は、地面はゆっくり流れて見えるのですが、高度が低くなると速く流れて見えます。着陸のために滑走

路に向かう時の旋回が「ファイナルターン」と呼ばれるもので、この時に滑走路に気をとられると、高度がどんどん落ちてくるため、スピードが出たように錯覚してしまう、つまり、失速の危険があるのです。

　飛行機は、離陸する時はエンジンをフルパワーにして飛行機が浮き上がるのを待つだけで、運を天に任せた心境です。ただし、滑走路の長さが足りないと気がついたら、即刻離陸を取りやめなければなりませんが。一方、着陸はそう簡単ではありません。高度を下げると飛行機のスピードが出てしまい、滑走路の着地目印であるタッチダウンポイントを外してしまいます。しかし、スピードが遅すぎると飛行機は失速して、墜落してしまいます。飛行機のスピードを速すぎず、遅すぎず、そして決められた滑走路の目標の位置に着地させるのです。

　そして、たいていの場合は風が吹いていますから、飛行機は風に向かって離着陸します。滑走路に沿って風が吹いていることなどめったにないので、大体は左右どちらかに振られます。着陸は、相反する狭い通路を通る感じなのです。

　そうした離陸と着陸を同時に練習するのが、タッチ

アンドゴーの訓練です。着陸態勢に入った時は、以下の３つのことを、着陸するまで何度も繰り返し確認します。「エアースピードメーター」「滑走路」「飛行機の姿勢」です。これらへの集中と分散が必要になるのです。

　接地する寸前には、機首を上げる操作をします。そう、大型の鳥が着地する時に見せる、頭を上げて羽をばたつかせ、足を前に出すあの姿勢です。これを「フレア」と言います。

不時着訓練

　タッチアンドゴー以外の訓練の1つに、航法訓練があります。風の速度と方角と機体の対気速度を考えて、目標地点の到着予測をおこなうのです。これには「航法計算盤」という計算尺を使うのですが、私はあまり好きではありませんでした。

　しかし、この訓練の時は必ず「不時着」の練習もさせられます。飛んでいる時に、教官が突然スロットルレバーを引いてアイドリング状態にし、

「エンジン停止！」

と叫ぶのです。そして、すぐに不時着の場所を指さし、そこをめがけて機をダイブさせようとします。教官は、不時着場所の選定と、決められた不時着の手順が正しいかを確認すると、実際はすぐにエンジンを正常に戻します。そして、「飛んでいる時は常に、いつエンジンが停止してもいいように、不時着場所を予想しながらの心構えをしておくこと」を心に刻むように言われるのです。

　不時着場所は、低翼機の翼端から円を描いた以内に
します。その円の外に、格好の広場や飛行場があって
も、エンジンの停止した飛行機は、絶対にそこまでは
たどり着けないからです。これは意志の問題ではなく、
物理学の問題です。

　高度がある時は、円の範囲は広くて選択の範囲も多
いのです。しかし高度が低い場合は、不時着の候補地
は限られてしまいます。上空で「ここ」と決めて、高
度が下がってよく見たら岩だらけだったとわかって
も、変更はできません。上空でベストと判断したので
すから、それ以上の条件の良い場所があるわけがない
のです。

　この不時着場所の円の中は、自分の意志でどうにで
もなる範囲を示しています。この円の外は、自分の意
志ではどうにもならないことを示しています。

　この件について、元零戦のパイロットは、こんな話
をしてくれました。

「日本海軍では、エンジンが止まったら、臍下丹田に
力を入れて、深呼吸をして、自分を落ち着かせてから、
不時着の決められた手順をおこなうと教えられる。と
ころがアメリカ軍は、エンジンが止まったら、まず自

分の腕時計を見て、何時かを読め。腕時計の示す時刻が読めれば、お前の頭は冷静で正常だから、訓練・練習してきたとおりに不時着しろ、と教えられる」

　これは、原因を重視する日本と、結果を重視するアメリカとの考え方の違いがよく出ている話で、面白かったです。

　私の好きだった不時着訓練は、飛行場を目の前にして（正確には滑走路と並行して）、ビル10階ほどの高さから飛行場をめがけ、エンジンはアイドリング状態で降りていく不時着の練習です。

　大きくバンクを取りながら、まるで自分が鳥になったように感じます。エンジンの音は風の音にかき消されていました。でも、この訓練はとても危険です。滑走路に届かなかったりしたら、エンジンのスロットルレバーを押して、再度やり直します。

　不思議なことですが、飛行機の操縦を習っていると、高度が高くて速度が速い時は安全を感じ、高度が低くて速度が遅い時は恐怖を感じるのです。普段、ビルの10階から下を見るとその高さにぞっとするのに、飛行機を操縦している時は、その低さに緊張します。

　不思議ついでに、飛行機を地上走行させる時は、操

縦席は左側に座り、スロットルは右手で、ステアリングは足で、ブレーキは両ペダルの上部を同時に踏むのですが、これを車の運転と混同したことは、私は全くありません。

零戦パイロットたちの思い出

　元零戦のパイロットの教官に、

「実戦で、恐怖心はありませんでしたか？」

　と、空の上で二人きりの時に聞いてみました。その答えは驚くべきものでした。

「小学生の時に、予防注射を並んで待っている時の心境だね。いずれ戦死は覚悟の上だから、恐怖心はなかった。今、あなたと飛んでいる時の方が怖く感じるね」

　私はさらに質問を重ねました。

「敵機と対峙した時の操縦は、どんな具合ですか？」

　すると教官は、普段は我々には、「スロットルレバーは指を添えてゆっくり、そうっと押し込むように。足で操作するラダーペダルは優しく踏むこと」と教えていたのに、

「実戦では、スロットルレバーは叩いた。ラダーペダルは蹴っ飛ばした」

　と、何かを思い出したような目で、前を向いたまま平然と言いました。

　別の零戦パイロットの教官は、フロートの付いた零戦に乗っていたそうです。記憶に残る話として、洋上で戦艦が大砲を打ち、その砲弾が目標のブイに命中したか、どれくらい、どの方向にずれていたかを確認するため、ブイの上空を旋回していたそうです。はるか水平線の向こうにある砲弾発射の戦艦と無線で連絡しながら、その戦艦が撃った砲弾の着弾位置を無線で報告していたとのことです。

　私がこの話を聞いてすぐに、

「旋回して待っている自分の機に、砲弾が当たるとは考えなかったのですか？」

　と尋ねると、

「……そんなこと、考えもしなかった」

　と、ちょっと時間を置いて答えられました。この時、教官が私に本当に教えたかったのは、南北に砲弾を打つと、地球の自転の影響で左右にずれる、ということだったようです。

アメリカ大陸横断飛行

　私の練習機は、アメリカ製のパイパーチェロキーで、飛行機の製造会社は、アメリカ東海岸のフロリダにありました。そのフロリダで製造した新品の飛行機を、アメリカ大陸の東海岸から西海岸まで、日本のアマチュアパイロットたちが運ぶというプロジェクトがありました。アマチュアと言っても皆、ベテランぞろいで、隊長は元零戦パイロットの教官、川上さんです。私は当時、免許を取ったばかりで、このプロジェクトに参加したいがために、川上さんに、「飛行経験は浅いが、英語は得意」とほらを吹いて直談判しました。

　川上さんは私の技量を試すつもりか、パラシュートを着けてアクロバット飛行を体験させてくれました。その時、記憶に残ったのは、宙返りの時で一番Gがかかるのは、地面がせまってくる宙返りが終わるところだったということです。そのあと、離陸と着陸をやらせてくれて、私のアメリカ同行が許されました。

　出発は夕方5時頃の便で、アメリカのロサンゼルス

に着いたのは、前日の午前 10 時頃でした。太平洋を渡る途中のちょうどミッドウェーあたりで、ジャンボジェットの機長が我々のアメリカ大陸横断の話を聞きつけて、当時としても社内規則違反ですが、我々を操縦席に呼んでくれました。ジャンボの操縦席は小型機と違って、静かで、風を切る音しかしていませんでした。太平洋上のジャンボジェットの操縦は、偏西風の強い場所を探して、それにうまく乗ることだそうです。逆にアメリカから日本に向かう時は、偏西風の弱いところを狙って行くとのことでした。驚いたのは、太平洋の上空、それも夜なのに、積乱雲があるということです。レーダーでチェックして積乱雲を避けるようにして航行するとのことでした。

　我々のアメリカ大陸横断飛行は、フロリダ半島のベロビーチからロサンゼルスまで、いわゆるアメリカの深南部を通過する旅で、約 6 日間の予定です。

　私の心に響いたことを列挙すると、まずは、大陸横断中に 3 回、時計の針を 1 時間戻したことです。これは、アメリカ大陸に時間が 4 つあるためです。ある町では、南北に走る道路を挟んで時間が 1 時間違いまし

た。でも、何のトラブルもないそうです。アメリカの建国は、日本でいうと江戸時代の頃です。その建国前から、アメリカ大陸には4つ時間があったのかもしれません。

　次に心に響いた出来事は、飛行機から見える虹は丸いということです。虹を右下に見下げるような感じで、太陽は左上にありました。地上で見る虹は背景が空で半円ですが、飛行機から見る丸い虹は背景が地面です。虹で思い出したことがあります。塾で子供に、虹の7色を覚えるうまい方法を聞かれ、私は"調子"で覚えることを提案しました。7色を音で、「セキ・トウ・オウ・リョク・セイ・ラン・シ」と覚えるのです。つまり、「赤・橙・黄・緑・青・藍・紫」です。子供はすぐにこれで覚え、喜んで何度も繰り返していました。

　次に、これはちょっと自慢話です。

　まだ私が大利根飛行場で練習していた時、単独飛行も許されて、あとは国家試験を待っているという頃でした。その日は教官と共に乗り、ひと通りの練習が終わって駐機場に着き、そろそろ夕闇も迫ってきていたので、これで今日の練習は終わりかな？　と思っていました。すると教官が急に、

48

「もう１回、単独で飛んできたら？　まだ明るいから」

　と言って、そのままドアを開けて飛行機から出てい
こうとしました。私は慌ててエンジンのスロットルを
アイドリングにしたのですが、教官が機内から出る方
が早く、プロペラの風で教官の帽子が後ろへ飛ばされ
てしまい、教官は帽子を追いかけるようにして飛行機
から飛び降りました。

　私は教官が飛行機から離れたのを確認してからドア
を閉めて、そのまま滑走路端へ向かい、飛行前のチェッ
クをおこない、滑走路の離陸位置に入り、許可の無線
通信をして、離陸しました。先ほどまでは教官との２
人飛行でしたが、今は１人で重量が軽いため、すぐ
に離陸速度に達しました。空中に浮かぶと飛行機は地
面の抵抗がなくなるからか、急に速度を上げて、順調
に上昇していきました。

　すると突然、右側からドーンという音と共に、経験
したことのない風圧を受けたのです。私は「右の主翼
が折れた！」と早とちりして、自分の飛行機が墜落し
た現場写真が新聞に載っているのが思い浮かびまし
た。しかし、飛行機は何事もなかったように順調に上
昇を続けているのです。そして、右側からは風の音が

単調に聞こえてきます。よく見ると、半ドアでした。

　飛行機のドアは自動車と違って、上部にもラッチがあり、このラッチは中からも外からも掛けることができます。いつもは教官が飛行機から降りる時に、外側からラッチを掛けてくれていたのですが、この時は教官の帽子が飛んでいってしまったせいで、ラッチが掛かっていなかったのです。私は内側からラッチを掛け直そうとしましたが、高速で飛行中のため、ドアは外へ吸い出されているので、うまくいきませんでした。半ドアは直せなかったものの、先ほどの大きな音と風圧の原因がわかってほっとするのと同時に、墜落で死を覚悟した反動からか、私は自分の心臓の鼓動が速くなっていることに気づきました。

　この経験が、アメリカ大陸横断の時に役に立ったのです。アメリカでの飛行の時は、ベテランの人が操縦して、私は操縦席の右側に座っていましたが、ドアは私の側にしかありません。飛行機が新品だったせいか、ドア上部のラッチがうまく掛からない状態で離陸してしまったらしく、例のあのドーンという音がして、室内の空気が吸い出される状態になり、ベテランパイロット氏はぎょっとした顔で、飛行場に戻ると言い出

しました。そこで私は、

「これは半ドアだから起こったことであり、問題あり
ません。多少、空気が吸い出される音がするだけです
から、このまま飛行を続けましょう」

と提案しました。

そのうちに雨が降り出して、半ドアの上部から雨の
雫が垂れてきたので、私は自分のハンカチでドア上部
をふさぎました。するとこのベテランパイロット氏は、
私のことを沈着冷静な人だと褒めてくたのです。

前述のように、以前に同じことを体験していたから
冷静に対応できたというのが真相です。そういう意味
では、たくさんの実戦経験のある零戦パイロットたち
は貴重な存在なのだと、身をもって感じました。

我々のアメリカ大陸横断飛行計画の保険について
は、日本の保険会社は扱ってくれず、欧米の保険会社
が持ってくれたそうです。アメリカでは、故障の多い
飛行機は保険金が自動的に高くなるので、市場競争に
は勝てずに自然淘汰されるとのことです。

飛行場では保険会社のプロがパイロットと管制官の
やり取りをウォッチして、事故があった場合、その原

因はどちらにあるのかを見張っているとのこと。飛行機事故があった場合は、保険会社が総力を挙げて原因を追究するのが健全な手段です。

その点で、御巣鷹山に墜落した日本航空 123 便のボイスレコーダーは、加工して一部しか公開されていません。遺族が裁判まで起こしているのに、何か重大な情報を隠しているとしか思えません。保険会社の意見はどうなっているのでしょうか?

さて、話をアメリカ大陸横断飛行に戻しましょう。

テキサスのホテルに泊まった時のことです。このプロジェクトに参加した中の私より年上の人から、日本へ電話をかけてくれと、東京の自宅の電話番号を渡されました。当時は携帯電話はまだありません。

私はまず、ホテルの部屋の受話器を取り、ダイヤル 8 を回してフロントにかけました。そしてコレクトコールを依頼して、件の電話番号を言うと、女性のオペレーターが「ハングアップ」と言うのです。私はこれを「首吊り」と解釈して、唖然としてしまいました。オペレーターは再び「ハングアップ・プリーズ」と、ムッとした様子で繰り返し、私はここでやっと、「受話器

を置け」と言われていることがわかったのでした。

　電話機が発明された初期の頃の形は、レシーバーを首吊りの状態にすることが、電話を切ることでした。このことを塾の子供たちに話したら、

「『となりのトトロ』の映画に出てくるあの電話だね」

　と、意外に話が通じたのが面白かったです。

　メキシコ湾では、プロジェクトの仲間たちと釣りをしました。釣り船は日本のと違ってがっちりした構造で、船内には軽食堂もあり、そこで隊長の川上さんが、注文したハンバーガーにカラシが入っていないことで店員ともめていました。そこへ私が拙い英語で店員に伝えると、すぐに解決しました。前述のように、このアメリカ大陸横断飛行のメンバーに加えてもらいたいがために、私は川上さんに、「飛行経験は浅いが、英語は得意」とほらを吹いたわけですが、その約束が果たせたのは、これが最初で最後でした。

　この釣り船で、絶対に日本ではありえないことがありました。それは、船尾で屈強な男がライフル銃を構えていることです。理由を聞いて納得しました。メキシコ湾では釣った魚を狙ってサメが襲ってくるため、

そのサメを撃ち殺すとのこと。幸い我々の時には、サメは襲ってきませんでした。

　テキサス州の南部から北上した時のことです。緑豊かな森林地帯が草原に変わり、やがて、西部劇に出てくるような赤茶けた砂漠地帯になり、そこには無数の油田ポンプが動いていました。例のフロート付きに乗っていた元零戦パイロット氏は、その風景を見て、
「アメリカがこんなに豊かだとわかっていたら……」
　と、ため息をついていました。
　昼食のために立ち寄ったテキサスの田舎の飛行場では、真っ昼間の晴天、静寂の中、20ｍほども離れていても、普通の声で会話が成立するのです。また、ゴトゴトと聞きなれない音がするので、「あの音は何？」と現地の人に聞くと、車がこちらに向かってくる音とのこと。それからしばらくすると、本当に車が到着しました。あの晴天の静けさは、今でも私の心に焼き付いています。

　アリゾナ州の上空を飛んでいる時のことです。フリーウェイが直線に地平線まで伸びて、天気は快晴、

　眠気が忍び寄ってきた頃、我々の機の左側下から4発のターボプロップ機が抜いていきました。飛行機は自動車と違って後方視界が全くありませんから、驚いた我々は眠気がいっぺんに吹き飛びました。

　有視界飛行で方向が同じなら、高度が同じか、2000フィートの整数倍離れるかで、全く問題はないのですが、相手の速度が速すぎるので、気がついた時には相手の4発機ははるか先を行っていて、エンジンから出る茶色の4本の排ガスだけが、糸のように残っていました。

　日本では、不時着の時はできるだけ人のいない場所を選ぶように指導されますが、アメリカでは、特にこのアリゾナ州では、フリーウェイの近くに不時着するように言われました。理由は、その方が救助されやすいからです。

　アメリカは、私にとって全く初めての土地でした。地図とVOR（超短波全方向式無線標識）の計器で、自分の位置がわかることになるのです。でも、確実なのは太陽の位置です。太陽の方向に地図の南を合わせると、よくわかります。地図は北が上に描かれている

ので、感覚とは合いません。

　一般に北半球では、家は南向きに建てられているため、家にいて窓からの景色は、左手が東で、右手が西になります。テレビで相撲を見ると、左が東、右が西で、北（手前）が正面になっています。また、「北面の武士」というのは、院御所の北面を詰所として院中の警備をしていた武士のことで、身分の高い方は南向きの部屋におられます。

　確認はしていませんが、ひょっとしたら南半球の人たちは、北上の地図が感覚と合うのかもしれません。

第3章

日本人の素晴らしさ

日本人の特性

　人類はアフリカで生まれ、長い年月をかけて世界に
広がっていきました。彼らの一番の関心事は食料のこ
とだったでしょう。そして次の関心事は、夜の次に必
ず来る昼の原因の“太陽”であったと思われます。

　太陽が生まれるところが見たい……。この好奇心の
DNA を持った連中が、ユーラシア大陸の東に到達し
ました。つまり、太陽の発生原因追究型民族が、日本
人の祖先ではないかと思うのです。

　反対に西へ向かった民族は、太陽が沈んだ結果を見
たいという、太陽の終末結果追究型の DNA を多く持
ち、彼らはユーラシア大陸の西に到達しました。つま
り、結果重視型民族がヨーロッパ民族の祖先ではない
かと思うのです。

　結果重視型のイギリスの医学分野の話では、天然痘
の件があります。イギリスの医学者ジェンナーは、牛
痘（牛の天然痘）にかかった人はなぜか天然痘にかか
らないという話を、乳搾りの仕事をしている人から聞

きました。そこで、子供に牛痘の膿を植え付けてみると、天然痘を発症するまでにはいかないことが判明しました。しかし、なぜそのようになるのかは当時はまだわかりませんでした。

　さらに、脚気についても、イギリス海軍は食事の内容にあると結果から気がつきました。これを日本の海軍も取り入れて、白米をやめて麦飯かパン食にしたところ、遠洋航海でも脚気の病気は起きなくなりました。しかし、なぜ食事内容が脚気に効くのかはわかりませんでした。一方で、同じ日本でも陸軍では、「脚気には脚気菌があるはずだ」との思い込みから、海軍の事実には耳を貸しませんでした。そして、兵士たちが喜ぶ白米を食べさせ続け、脚気で多くの兵士を失ったのです。その数は、戦闘で亡くなった兵士の数とほぼ同じくらいだと言われています。これは、原因追究型のDNA が裏目に出た例と言えます。

　日本列島に住むようになった人類は、南の方から黒潮に乗ってきた連中との混血と考えられています。住まいや風習もそちらの方のものが色濃く残っています。遺伝子的には、中国大陸の人たちより遥かに、日

本人の混血度の方が高いそうです。

　日本人は中国から漢字がもたらされても、その漢字の音を使って、自分たちの大和言葉を守りました。さらに、漢字からひらがなやカタカナも発明していますし、漢字の音と訓も発明しています。そして、平安時代の約400年間は、天皇の裁可による死刑がなかったほどに平和であり、紫式部や清少納言など、女性たちによる文学も多数書かれました。

　象形文字、つまり表意文字を発明したのはエジプト人と中国人で、エジプトの象形文字から表音文字を発明したのは地中海貿易に優れたフェニキア人です。これが基になってアルファベットの26文字が生まれ、地中海沿岸から各地に広がりました。

　中国人の発明した象形文字、つまり表意文字である漢字から、日本人がひらがなとカタカナを発明したことはすでに述べました。日本語の文章は、漢字の表意文字と、表音文字のひらがなとカタカナの入り交じった表現力の豊かなものになっています。

文明分類で日本は
単独の文明・歴史を持つ

　世界の文明を分類した時、日本はその中のどこにも分類所属されないそうです。

　その特徴は、神話から現代に至るまで、天皇が途切れることなく継続していることです。また、宗教で、神道と仏教が争うことなく融合していることも大きな特徴です。日本語は世界に類似言語は見つかっていません。単独文明の単独言語国家です。

　洋の東西から様々な物を取り入れ、それを日本なりに改良・改善して、まるで違ったものにしてしまうようなところもあります。漢字は中国から日本にもたらされましたが、日本発の漢字も多くあります。例えば、社会、警察、郵便、科学、共産主義、独裁、領土、覇権、これらは中国に逆に輸出されました。中国から来た孔子や孟子などの思想も、本国よりも深く研究が進んだ例もあります。特に江戸時代の260年間の平和が、これらに大きく寄与しています。

西洋の文明が入ってきても、例えば種子島の鉄砲などは、工夫して自分たちで作るところにまで消化していました。信長は当時、世界で一番の鉄砲の数を戦場に用意したそうです。また、キリスト教はスペイン人のフランシスコ・ザビエルによって日本にもたらされましたが、豊臣秀吉や徳川家康がその真意を見抜いて対応したため、スペインの日本征服の野望は果たせませんでした。

　特に17世紀初めから260年間の江戸時代の平和が、その後の日本人の性格を形作ったと考えられます。当時の世界は戦乱にあけくれていました。しかしその間、日本の文明は全く停滞していません。医学分野では杉田玄白が翻訳して、日本初の西洋医学書『解体新書』を書きました。商業分野では独自の米相場の先物取引や為替の発明。数学の分野では、微積分の発想にまで到達していた和算の関孝和。天文学を使った測量技術で日本地図を作り上げた伊能忠敬。芸術面では歌舞伎、浄瑠璃が独自に発展しました。幕末の時期は世界の列強がアジアを植民地化していて、日本も植民地にされる危険がありました。しかし、きわどいところで、徳川最後の将軍の皇国史観で切り抜けたのです。

　明治時代になると、小野妹子が遣隋使として派遣されたように、日本の優秀な学生を欧米に留学生として派遣しました。これは、どんなに高度な文明も技術も、自分たちのものにすることができるという自信があったからです。遣隋使や遣唐使の歴史から、日本の指導者たちはこれを当然のことと考えていたのです。

日清戦争・日露戦争で
日本が勝利した理由

　他のアジア諸国、アフリカ諸国のような植民地にされないようにするためには、富国強兵の政策しかないことに日本は気づいていました。その効果が明確に出たのが、日清戦争・日露戦争です。

　清国は“眠れる獅子”と言われており、列強国は恐れていました。事実、清国は当時、東洋一と言われる戦艦を２隻保有していて、それを含む４隻が日清戦争が始まる８年前に、戦艦の修理と称して長崎に入港しました。本当の目的は、日本人を恐れさせることであり、事実、日本人はその戦艦の巨大さに恐怖を覚えました。さらに、戦艦の清国水兵たちは、日本からの許可なく勝手に上陸し、長崎の町で乱暴をはたらき、日本の警官と斬り合いや乱闘となり、双方に死傷者が出ました。

　しかしそれから８年後の日清戦争では、日本の陸軍と海軍は、当時としては最新の近代的な装備、訓練で

戦ったため、清国に大勝利しました。清国は日本の近代化に着眼し、自分たちの伝統である科挙をやめ、日本に学ぶべく、多くの留学生を日本に送りました。清国の属国だった朝鮮は、強いものに付く習性の事大主義から、日本にすり寄るようになりました。

　列強国は日本の勝利に嫉妬して、ロシア、ドイツ、フランスによる日本への三国干渉が起こり、日本は遼東半島を手放す結果となりました。当時の日本の指導者たちは、自分たちの実力と相手の実力を十分に知っており、この場は引き下がったのです。幕末から明治維新での実戦の経験がそうさせました。

　その弱腰を見た朝鮮は、日本からロシアににじり寄ることになりました。朝鮮はロシア軍に港や土地を借款し、これに日本は危機感を覚えて、ロシアの南下政策を止めるべく粘り強く交渉しましたが、全く受け入れられず、日露戦争に突入することになりました。しかし、明治の元勲たちはしたたかであり、戦争をやめる時期とその仲介役をアメリカに頼んでいました。

　当時のロシア陸軍は、ナポレオンのモスクワ遠征の野望を打ち破ったことで世界最強でした。また、海軍も世界最強のイギリスに次いでいました。

当時、イギリスはどこの国とも同盟を結んでいませんでしたが、日本軍の規律の良さを信頼して、日英同盟が成立しました。日本陸軍はドイツの最新の戦術を学び、海軍は英国の最新の戦法を学んでいました。そして日露戦争では、日本陸軍の騎兵戦は最新の機関銃でロシアのコサック騎兵と対応し、海軍は当時の世界水準を超える下瀬火薬の発明により、火力でロシアを圧倒して、結果、日本はロシア帝国に勝利したのです。

　日本は満州を手に入れ、国論が統一できない朝鮮を統合統治することになりましたが、アメリカはこれに嫉妬し、1911年、日本を仮想敵国とする「オレンジ計画」を立てました。アジアの小国で有色人種の日本が白人国のロシアを打ち破ったのは、コロンブスのアメリカ大陸到達以後400年間の、白人によるアジア・アフリカ植民地化の流れを変えるものだったのです。

　日露戦争における日本海海戦は、世界三大海戦の1つに数えられています。あとの2つは、サラミスの海戦とレパントの海戦で、これらの海戦の勝敗が逆になっていたら、その後の世界史が全く違ったものになっていた……これが世界三大海戦の意味です。

太平洋戦争の敗因

　第一次世界大戦で日本は戦勝国側に入り、人種差別の撤廃を訴えるも、アメリカ、オーストラリアの反対で実現できませんでした。

　また、第一次世界大戦で明らかになったことは、戦争に使われるエネルギーが石炭から石油に代わっていたことです。

　太平洋戦争（大東亜戦争）は、アメリカの石油その他の天然資源を日本に売らない戦術が理由となり、日本は戦端を開きました。アメリカは30年以上も、「オレンジ計画」によって日本の弱点を研究済みでした。

　日本の軍隊組織も、日清戦争・日露戦争の時とは大幅に変わっていました。それは、日露戦争以降40年近く戦争を経験していなかったからです（第一次世界大戦では、日本は大きな戦闘には加わっていません）。そのため、日本は軍人を戦争能力で昇進させるのではなく、海軍大学校や陸軍大学校を出た年次と学力成績を優先するようになっていました。軍人の官僚化です。

軍人を戦争能力で昇進させることの効果に気づいたのは、イギリスのピューリタン革命の指導者となったオリバー・クロムウェルで、それを徹底させたのがフランスのナポレオンです。

　アメリカは軍人をビジネスマンのように扱い、信賞必罰を徹底し、命令系統も、その場その場で現場が対応しました。一例として、民間のプロを兵士の上官に仕立てる柔軟性がありました。

　日本の軍人の能力評価・配置はというと、たとえていうなら、高校野球で甲子園大会を目指すために、ピッチャー、キャッチャー、内野手、外野手を、野球の能力ではなく学校の試験の点数で選定しているようなものです。つまり、戦争能力がそのまま表れる戦闘機乗りへの軍人としての昇進の道は閉ざされていたのです。

　しかも、日本には海軍と陸軍を統率するトップがいませんでした。アメリカはルーズベルト大統領、イギリスはチャーチル首相、ドイツはヒトラー、ソ連はスターリンが人事権を握っていました。しかし、日本の陸軍と海軍は仲が悪く、それは「陸軍と海軍は日本人同士で戦いながら、合間にアメリカと戦っていた」な

どと表現されるほどでした。

　太平洋戦争では、アメリカ軍は海軍の空母ホーネットに陸軍の爆撃機 B-25 を搭載し、日本近海まで近づいてこれを発進させ、日本の各都市を爆撃し、そしてそのまま中国大陸へ滑り込むという、指揮官ドーリットルによる作戦を実行しました。事実、中国大陸で日本軍に捕獲された B-25 もあったのですが、日本は陸軍の爆撃機が太平洋から来たことに動転するばかりで、このドーリットルの作戦の詳細がわかったのは戦後になってからと言われています。

　また、日本軍は「補給」を軽視するところがあり、補給部隊を馬鹿にする歌もありました。南方からの石油やその他の鉱物資源を日本本土に輸送する時の、船団の護衛の貧弱さは考えられないほどで、日本の弱点をさらけ出し、多くの民間の船員を失っていました。戦争の原因が、石油をはじめ多くの鉱物資源を遮断されたためだったことを考えると、理解に苦しみます。

　人間の体を見ると、血液の中の赤血球は、酸素と二酸化炭素を運ぶ「補給係」です。人間の全細胞の 3 分の 1 をも占める数があります。この「補給」に特化した赤血球は、細胞核をなくした唯一の細胞です。いか

に「補給」というものが重要なのかが、こうしたことからもわかります。

　さて、終戦後におこなわれた東京裁判は事後立法であり、これを主導した張本人のマッカーサーは、1951年のアメリカの上院軍事外交合同委員会でこう証言しています。

「日本は石油をはじめ、あらゆる鉱物資源を海外から求めなければならなかった。それを得られなくなって、自衛のために戦争に突入した」

　東京裁判では、事後立法の平和に対する罪で7人が絞首刑になりました。東京裁判は、アメリカのマッカーサー個人の復讐裁判だったのです。

　アメリカは日本軍の強さに恐怖を感じ、その原因を日本の歴史にあると考え、戦後は日本の国語の表記をローマ字表記にし、貨幣を円からドルに換える予定でした。また、公職追放で約20万人の教育界、経済界のトップを首にしました。教育界へのその効果は絶大で、今でも、日本の歴史を否定する教育者が再生産、再々生産されています。

　塾で教えていたある生徒は、学校の社会科の時間が嫌いと言っていました。江戸時代も、戦国時代も、平安時代までも暗黒な時代だから、と。

日本人の DNA を思い出そう

　我々には、太陽の発生原因追究を求めてやまない DNA があります。日本の素晴らしい歴史を、東京裁判史観の色眼鏡ではなく、自分の DNA に照らして見ていく必要があります。

　現在、日本の周りの国を見ると、北からロシア、中国、韓国と北朝鮮とありますが、これらの国の共通項は、約束を守れない、嘘をつく、ということです。さらに、その原因となる共通項は、モンゴル・騎馬民族に約300年間支配された歴史を持っていることです。ロシアはタタールのくびき、中国は元やその他の騎馬民族の支配、朝鮮半島はモンゴル軍の通り道でした。

　日本はというと、元のフビライが二度も日本征服を試みましたが、時の執権、北条時宗の明晰な判断と勇敢さで、元の大群を二度とも撃退しました。

　初代征夷大将軍である源頼朝の死後、頼朝の直系が絶えるのを見た後鳥羽上皇は、鎌倉幕府の滅亡を期待して、時の執権、北条義時を討伐する命令を出しまし

た。幕府の武士団は天皇からの宣戦布告に動揺しましたが、その時、この武士団を北条政子が説得したのです。頼朝が幕府を開いた時のことを思い起こさせて、武士団が結束したからこそ幕府が政治の実権を握ることができたのだと奮い立たせた結果、武士団は鎌倉での防御方針から一転、積極作戦で京へ攻め上り、朝廷軍を打ち破りました。これが「承久の乱」であり、上皇以下を島流しにしました。

　北条義時は政子の弟です。第2代執権の北条泰時は政子の甥です。そして第8代執権が、フビライを二度も撃退した北条時宗です。北条政子が自分の本家を執権にしたおかげで、元の襲来も防ぐことができたのだと言えるでしょう。

　日本に武家政治を確立させたのも、その後の戦国時代、そして江戸幕府の成立後の260年の平和も、北条政子の存在と活躍なくしてあり得ません。

第4章

各国の DNA

アメリカ ——奪い取る DNA

　17世紀の初め頃、イギリスで宗教弾圧を受けた
ピューリタンたちが、メイフラワー号でイギリスを脱
出し、到着した新天地がアメリカのマサチューセッツ
州プリマスです。アメリカは、イギリス、フランス、
スペインが植民地とし、先住民の所有する土地をヨー
ロッパ諸国が勝手に戦争を起こして取り上げてしまい
ました。

　このため、アメリカ人の DNA には、「戦争は国土
を広げる良いもの」と刻み込まれたのです。

　住民たちの間には、直接民主制の原型のようなもの
が自然発生し、イギリス本国が植民地アメリカに課税
しようとしたところ、逆ねじを食ってしまいました。
そして植民地アメリカで反英運動が起こり、戦闘が起
こると、住民たちは「植民地人」から「アメリカ人」
に変わりました。

　1776年には、「全ての人間は生まれながらにして
平等であり、一定の権利を与えられている」と、独立

が宣言されました。これはアメリカ革命であり、この革命戦争は血を流して勝ち取ったことになりました。

　この革命の影響を一番強く受けたのは、フランスでした。フランスは「自由・平等・博愛」をスローガンに 1789 年に革命を起こしましたが、革命によって立憲君主制から共和制へと変わったものの、結局はナポレオンに乗っ取られてしまいました。

　アメリカはその後、スペイン、メキシコと戦争をして、領土と植民地を獲得しました。そのやり方は、相手に最初の一撃をさせて、決まり文句の「○○を忘れるな」で戦争を正当化するというものです。ハワイは力ずくで自国のものにしました。300 年もの間、先住民の土地を奪ってきた DNA がさせたものです。

　第一次世界大戦では、アメリカは"世界の工場"になり、存在感を発揮しました。そして、連合国側の勝利の結果、日本が五大国に有色人種として初めて名を連ねました。白人至上主義の時代に、有色人種の日本は人種差別の撤廃を提案しましたが、アメリカに反対され、日本人に対する警戒感が強まってしまいました。またアメリカは、中国大陸に進出するには、すでにヨーロッパ諸国と日本が入り込んでいるために、その余地

がなかったことにも嫉妬しました。

　アメリカは他の白色人種国と共に、日本を「危険な有色人種国」と見るようになりました。その日本は日清戦争、日露戦争に勝利し、朝鮮を併合し、満州の利権をロシアから奪い、アジア・アフリカの有色人種に植民地からの独立の希望を持たせたのです。

　アメリカのカリフォルニア州で1900年頃から始まった日系移民に対する排日運動は、遂に1924年に排日移民法を成立させるまでになりました。特にカリフォルニア州では、すでにアメリカ国籍を持っている日系アメリカ人にも土地所有を認めない排日土地法が制定されました。アメリカは移民国家にもかかわらず、世界各国の移民の中で日本人だけが排斥されたのです。その理由は、日本人には犯罪者が少なく、法を守り、勤勉で優秀だったことで、それがヨーロッパからの移民たちに嫌われた結果でした。アメリカは貧乏な者や弱い者には親切ですが、優秀で勤勉で金持ちの日本人には、激しく嫉妬したのです。

　第二次世界大戦はドイツが始めました。アメリカはヨーロッパの戦争にはかかわらない方針でしたが、当時のルーズベルト大統領は介入したかったのです。し

かし、大統領になる時の公約に、外国の戦争には参加しないことがありました。

　大統領の取り巻きには、ソ連共産主義者が多くいました。そのソ連のスターリンは、ドイツに攻め込まれていました。一方、日本はドイツとイタリアとで防共協定を結んでいました。これは、英米をはじめ、植民地を持つ国のブロック経済に対抗した協定でした。

　日本は中国大陸でも戦争をしていました。アメリカは日本に、石油をはじめ、鉄、ゴム、その他の天然資源の輸出を止めました。これが、アメリカ・イギリス・中国・オランダによる「ABCD 包囲網」であり、日本に対する明白な戦争行為です。そして、日本が太平洋戦争を開戦する引き金となったのが、アメリカの国務長官ハルによる最後通牒、いわゆる「ハルノート」でした。しかし、このハルノートを書いたのは、実はハルではなく、ホワイトというソ連の共産主義者が、日米を戦わせるというスターリンの意向を受けて書いたものであり、この事実は戦後判明したことです。

　ルーズベルト大統領は、日本に目に見える形の例の「最初の一撃」をやってほしかったのです。そしてまんまと、1941 年 12 月 8 日のハワイ真珠湾攻撃とな

りました。

アメリカは事前に、日本艦隊からの攻撃を知っていましたが、ハワイの真珠湾のアメリカ海軍には知らせていませんでした。したがって、日本軍の攻撃は虚を突いた形となり、奇襲は成功しました。これでアメリカの世論が百八十度変わり、ルーズベルト大統領は大手を振って戦争に介入できたわけです。喜んだのは、イギリスのチャーチル、ソ連のスターリン、ヨーロッパの白人国でした。

真珠湾で奇襲を受けてしまったハワイのアメリカ海軍のトップであるキンメル将軍は解任させられ、戦後になって、その家族が名誉回復の運動をしましたが、認められていません。もし認めれば、アメリカは日本の真珠湾攻撃を事前に知っていたのに、キンメル将軍には知らせなかったことがわかってしまうからです。

この一連の流れは、アメリカが日本を仮想敵国にした「オレンジ計画」を1911年に作り、その計画に従って経済封鎖を実行し、「ハルノート」で宣戦布告し、日本軍が先に手を出したように見せかけた罠だったのです。

ちなみに、真珠湾攻撃の日時について、日本では

12 月 8 日となっていますが、アメリカでは 12 月 7 日になっています。これは日付変更線のせいです。

　さて、これでアメリカも日本と同様に、両面戦争に突入したことになりました。つまりアメリカは、太平洋を挟んで日本と戦い、大西洋を挟んでドイツと戦うことになったのです。ちょうどドイツと戦っていた共産主義国家のソ連を、アメリカは民主主義国家としてごまかして援助しました。

　1942 年 6 月のミッドウェー海戦で日本が勝っていたら、アメリカはヨーロッパへの戦力を太平洋岸の守りに割くことになり、その後の世界の歴史が変わっていたかもしれません。その証拠に、アメリカではこのミッドウェー海戦を世界の四大海戦にする意見もあるとのことです。

　アメリカは日本とドイツに勝利しましたが、戦争に必要な武器・物資を大量に援助したソ連のスターリンが本当の敵であったことが、終戦直後に判明しました。

　その後アメリカは、戦争はしても勝利の結果は示せていません。朝鮮戦争とベトナム戦争も、核兵器を使用する最終戦争に発展する恐れから、不完全燃焼のままです。

アメリカは17世紀の初め、アメリカ大陸の先住民の土地を武力で奪いました。それを天命と考え、自分たちは神に選ばれた者であるから、未開の先住民を指導する、という宗教観からです。今もそこから抜け出さないままの、中世の中にいます。ダーウィンの進化論を否定し、学校で教えることも禁じている州が近年までありました。対外的には、戦争を仕掛けて、領土を拡大してきました。300年間の宗教戦争の成功体験が、アメリカ人のDNAとなっています。

ロシア
──「タタールのくびき」の大きな影響

　ロシア平原に住んでいたスラブ民族は、13世紀に
モンゴル騎馬軍団に攻められて以降、悲惨な人種差別
状態が約250年間も続きました。いわゆる「タター
ルのくびき」です。このくびきを破ったのが、中国の
宋の時代に発明され、その後、西洋で改良・発達した
「銃」でした。モンゴルの騎馬軍団の武器は、大昔か
ら弓矢が中心だったので、これに銃の騎馬で対抗して
成功したのです。武器を銃に持ち替えたコサック騎兵
の勝利でした。

　余談ですが、全く同じ時期に、日本では「長篠の戦
い」があり、武田の騎馬軍団を、織田・徳川連合軍が
銃で待ち受けて打ち破っています。

　また、時代は20世紀になりますが、日露戦争で、
ロシアのコサック騎兵を、日本の陸軍騎兵が馬から降
りて機関銃で待ち受け、コサック騎兵の突撃を打ち破
りました。これが契機となり、世界の陸軍から騎兵隊

が消えました。

　ロシアの「タタールのくびき」は、民族の心に深い痕跡を残したと考えられます。国民には貴族と奴隷しかいない状態が当時のロシアでした。国民は純朴で、しかし外部からの侵略には、ロシアのリーダー格は病的なほど警戒心が強いのです。19世紀のカムチャツカ半島の港では、どこの国が侵略するというのか、毎日大砲の発射訓練をしていたそうです。これは、江戸時代の日本の漂流船でロシアに抑留された人たちが確認しています。

　ユダヤ人はヨーロッパ諸国で嫌われていましたが、特にロシアでの差別は激しかったそうです。ロシア語にはユダヤ人を殺害する個別の動詞が存在するくらいです。

　また、ヨーロッパ諸国からのロシア人の評価は、「条約を結んでも簡単に破り、約束を守ることよりも目の前の利益に目がくらむ連中だ」とのことです。

　ロシア国民は鈍感なのか、こんな話があります。時は1943年11月、日本の飛行機設計者の佐貫亦男氏がドイツでの仕事を終えて帰国する時のこと、当時、既にソ連とドイツは戦争をしていました。帰路は、ト

ルコ経由でソ連領を鉄道で 3 週間かけて日本に着く
というものです。その間、佐貫氏はソ連国内の鉄道の
駅などで、ドイツとの戦況を一度も目にしなかったと
のことです。日本のように戦況に一喜一憂する国民性
とは全く違うとんでもない国だ、と彼は感じたといい
ます。

　13 世紀の「タタールのくびき」の 250 年間、がロ
シア人の DNA に大きく影響しています。

イギリス
──フランスへの300年間の"留学"

　イギリスの島が歴史に登場するのは、ローマのカエサル（シーザー）が紀元前1世紀に上陸したことからでしょう。当時はケルト人がヨーロッパ大陸からこの島に渡って住んでいました。

　その後5、6世紀になると、北方ドイツのアングル人とサクソン人がこの島に攻め込み、ケルト人を北に追いやり、ケルト人たちはそこでスコットランドを作り、南に追いやられたケルト人たちはウェールズを作りました。さらにケルト人の一部は、西の島のアイルランドにも追いやられました。ですから、イギリスの言語は英語ですが、元々はドイツ語の北方訛りだったのです。

　11世紀になると、フランスのノルマン人がイギリスの島を侵略しました。これは「ノルマン・コンクェスト」と呼ばれ、その後、約300年間フランスがイギリスを統治しました。公用語はフランス語と決めら

れ、英語は地方の下層の人たちの言語となりました。現在、英語の中にラテン語が多いのは、これが理由と考えられます。

　自分たちの言語が追いやられて、フランス語がいきなり公用語になるとは、イギリス国民が全員まとめて、フランスに 300 年間留学したことになったのと同じなのではないでしょうか。そこから、イギリス人は言語に関して、他国の単語を入れることに鷹揚になったと考えられます。

　このような国民性から、世界中で嫌われていたユダヤ人を、イギリスは差別しなかったのでしょう。それどころか、ユダヤ人の首相まで出しています。その人物はベンジャミン・ディズレーリで、彼はフランスが開いたスエズ運河会社を、ユダヤの大富豪から金を借りて株を買い占め、イギリスの所有にしてしまいました。

　イギリスで 17 世紀まで革命が起きなかった理由としては、身分は問わず金儲けのうまい実力のある人間を貴族に抜擢したことが挙げられています。

　話は幕末の日本に飛びますが、薩摩藩の行列を妨害したとして、藩士がイギリス人 4 名のうち 1 名を殺傷、

2名を負傷させた、いわゆる「生麦事件」のあと、英国は賠償金をとるために薩摩にイギリス艦隊を送り、薩英戦争が起きました。イギリスは薩摩軍をなめていましたが、薩摩軍の規律のとれた勇敢な攻撃に、イギリス艦隊の司令官の戦死もあって、逃げるように引き揚げたのです。

　そして、イギリスは薩摩の実力を認め、その後、急速にイギリスと薩摩は接近しました。実力のある敵を尊敬する騎士道精神が生きていたのです。こうした精神は、アメリカには現在もありません。これは、11世紀に起こった、フランスへの300年間の国を挙げての留学が、イギリス人のDNAに大きく影響しているからでしょう。

ベネチア　——工夫と改善の DNA

　西ローマ帝国が 5 世紀に滅び、蛮族がアルプス山脈を越えて、今のイタリア北部を荒らしまわりました。イタリア人たちは、このまま陸地にいては、財産はもとより命も危ない状況です。そこで、イタリア人の中の機転の利くベネチア人の祖先たちは、干潟に点在している島岩石の上に逃げる道を選んだのです。蛮族も干潟までは襲ってきませんでした。その場所は、アドリア海の奥で、イタリア半島の東に位置します。

　彼らは干潟の上に住むために、干潟に木の杭を打ち込み、それを土台にして、その上に家を建てました。材木は、蛮族のすきを見計らって、平地の森林から切り出しました。その数は膨大なものでした。

　そして、彼らは小魚と塩を売って生計を立てました。しかし、海の上に住むということは、湿度が高く、そのために疫病にも悩まされ、生活排水も潮の干満で逆流の危険がありました。しかし、ベネチア人の先祖たちはあきらめることなく、頭を使い、工夫に次ぐ工夫

で様々な難問を解決していったのです。

　300年以上もの間、工夫を続け、さらに住環境の悪さから自然淘汰を経ると、ベネチア人の男は、当時のヨーロッパ人より頭一つ分ほども背が高くなり、体は頑強で、その頭脳は明晰であり、事実に基づいた工夫が得意な人種となりました。

　彼らは地中海貿易が富の源泉であることに気がつき、木造船の大量生産方式を考え出しました。それは、船の部品の標準化です。航海に必要な海図も発明しました。当時の船は帆船で、風のない時に船を漕ぐためにオール付きでした。ガレー船です。漕ぎ手は、他国の場合は奴隷が担当でしたが、ベネチア人は奴隷を使わず、給料を払って漕ぎ手を雇い、能力があれば船の上級職につける道もありました。

　アドリア海の東海岸は海岸線が入り組んでいて、海賊の恰好のすみかでした。しかしベネチア人は、彼らを退治するのではなく、なぜ彼らは海賊稼業をやっているのかを調べました。その結果、彼らにはそれ以外の仕事がないのだということに気がつき、そこで彼らをベネチアの船の漕ぎ手として雇ったのです。

　7世紀末に成立したベネチア共和国では、若者の教

育として、一定の年になると交易を学ばせるために船
に乗せ、各港で商品の売り買いができるように経済的
な援助もおこなっていました。各国の商品知識が商売
の利益につながることを、実務を通して学ばせていた
のです。

　ベネチア人は「船の定期便」という概念をも発明し
ました。当時の船は風任せで、いつ船の荷が着くかわ
かりませんでした。ところがベネチアの船は正確で、
荷の到着が予測できたのです。特にヨーロッパ向けの
胡椒は、ベネチアがその市場を握っていました。

　当時、地中海は海賊が横行していましたが、ベネチ
アの船は襲われませんでした。なぜなら、前述のよう
に給金を払う漕ぎ手として雇っているので、戦闘にな
れば彼らが戦力になるからです。他国の船の漕ぎ手は
皆、奴隷ですから、戦力にならないばかりか、海賊に
襲われたのをチャンスと見て反乱を起こす危険性もあ
りました。海賊も、内乱の起こる危険のある船の方が、
勝てるチャンスがあるから襲うのです。

　当時、ベネチアは"地中海の女王"と呼ばれ、貿易
で財をなした大富豪の商人を多く輩出しました。政治
は共和制で、首長を選ぶ時は大富豪の商人の中から選

挙で決めました。その選挙の方法は、偶然の要素を巧みに取り入れて、人間関係の密約や談合の危険性を避けるという、人間の汚い情念を知り尽くした見事な仕組みでした。また、首長に選ばれても、多くの制限がありました。例えば、首長単独で他国の人間と会ってはならないなどです。

　ベネチア人は、情報を何よりも大切にしました。そして、世界初の外国に駐在大使を置くことを発明しました。大使たちからは外国の詳細な情報が寄せられ、その情報は事実に基づいたものであり、感情に左右されていないのが特徴でした。

　ベネチアが絡んだ世界史に残る事件として、世界三大海戦の1つと数えられる、1571年のレパントの海戦があります。ヨーロッパ連合軍（教皇、スペイン、ベネチア）対トルコ軍団で、ベネチアの戦艦は当時としては最新の大砲を多数装備していました。結果、ヨーロッパ連合軍が勝利しましたが、戦死者の数は、連合軍の中でベネチア人が最大でした。特に指揮官クラスが多く戦死しています。これは、ベネチアの指揮官たちが船首にいるのに対して、他国の指揮官たちは船尾にいたことが原因と考えられます。

　ベネチア人の発明で、今も世界中で使われているものに「検疫制度」があります。検疫（Quarantine）という言葉は、ベネチアの言葉の「Quarantena（40日間）」からきています。ベネチア人は、航海を終えて船が港に着いた時に、船の中で疫病が蔓延している疑いのある場合は、船客、船員を 40 日間、隔離して、上陸させない制度を発明したのです。

　300 年以上の干潟での工夫と改善の DNA が、ベネチアを作ったのではないでしょうか。

＊

　第3章と第4章で、日本、アメリカ、ロシア、イギリス、ベネチアの数百年間の DNA キーワードを出しました。日本の雀は人間を怖がって近くに来ませんが、これは多分、終戦直後の食糧難の時に、多くの雀を霞網で大量に捕って食料にしたためだと思われます。雀でさえ、終戦直後の 10 年間ほどの殺戮の記憶が DNA に受け継がれているのですから、人間の数百年の経験は当然、大きな影響があると考えるのが妥当でしょう。

第5章

ま と め

英語の待ち伏せ勉強法について

　私は約50年間、この「待ち伏せ勉強法」を利用しています。その中でも中心は「英語」です。主な理由は、日本語を知るためです。英語のスペルが発音とは関係ないようなものが多いのも、日本語の漢字効果を狙ったものだな、と納得したりするためです。

　日本語だけしか知らないと、発音も全て網羅していると思ってしまいます。しかし、英語には「あ」の音だけで3つあります。RとLの発音も、日本人には区別しにくいので、米（Rice）が虱（Lice）になったり、赤（Red）が鉛（Lead）になったりします。

　私たちが日常で当たり前に使っている言葉の中に「青信号」がありますが、これは正確には「緑信号」です。青田刈り、青りんご、青木、青森は皆「緑」です。しかし、青空、尻が青い、などは「青」と正確に表しています。

　文章については、「象は鼻が長い」や、そば屋で注文する時の「僕はタヌキ」「私はキツネ」を英文にし

ようとすると、主語と動詞をあらためて考えなければならない羽目になります。

　私事ですが、2015 年に、40 年ぶりに英検 2 級を取り直しました。試験の結果はリスニングが悪かったのですが、それは年齢のせいなのかと思います。塾の子供たちから聞いて知ったのですが、今の中学生の中間試験の英語には、リスニングが組み込まれているそうです。我々世代の頃はありませんでした。

　繰り返しになりますが、「待ち伏せ勉強法」の良いところは、たとえば、今日、朝起きると、確認する内容がすでに待ち受けていることです。私の場合、日によって「エビノート」の枚数は異なりますが、およそ 30 〜 50 枚ぐらいです。勉強の最強の壁「始めること」が、待ち伏せ勉強法の習慣によって自然消滅します。隙間時間も無駄にはしません。テレビを見ながらでもチェックが可能です。テニスとサッカーの中継を見ながらはちょっと無理ですが……。電車の中でも、散歩中でも、チェックが可能です。

　でも実際は、私は 1 週間早めてチェックしています。なぜなら、どんな予定外のことが飛び込んでくるかわからないからです。また、1 泊の国内旅行の時や、1

週間の外国旅行にも「エビノート」は持っていきます。

　私事ですが、近年、心筋梗塞で入院しました。心臓には３本の動脈があり、それらが心臓の筋肉に栄養と酸素を送っています。その動脈が詰まってしまい、うまく栄養と酸素が送れなくなるのが心筋梗塞です。日本人は原因追究型で、日本語も「原因」を表現するので「心筋梗塞」と言いますが、英語では「心筋梗塞筋肉破壊」という言葉になります。心臓の筋肉は血管からの酸素や栄養が送られないと、自分の筋肉を破壊して心臓の動作を優先させる性質があるため、欧米は結果追究型なので、英語も「結果」まで表現しているのです。

　私も「心筋梗塞です」と医者に言われ、その診断の理由を聞くと、血液検査の結果、心臓の筋肉のたんぱく質が血液の中に流れ出ているとのことでした。そして医者から「今日、このまま入院です」と言われたので、家に連絡しますと立ち上がろうとしたら、「だめです。今、車椅子が来ますから」と言われ、状態が切迫していることがわかりました。

　イソップ物語の中に、『猫の首に鈴を付ける（ネズミの相談)』という話があります。英語では『Bell The Cat』というタイトルですが、日本語の方がはるかに詳細な表現です。他にもこんな例があります。「常温保存食品」は、英語では「shelf stable food」です。

　また、アメリカの学生の質問は「What」で聞くそうで、日本の学生は「Why」で質問するそうです。これは多分、我々日本人が原因追究型の DNA を持った民族だからでしょう。

脳内で記憶同士が"発酵"する 「待ち伏せ勉強法」

　「待ち伏せ勉強法」をやっていて、前回まではちゃんと覚えていたのに、今回は全く忘れてしまっている、ということもあります。そういう場合、私は以前は腹が立ちましたが、チェックしたのは自分の意志、忘れた結果は自分の意志の外、と考えるようになりました。つまり、第2章の「不時着訓練」でお話しした、不時着時の翼端から円を描いた中は自分の意志でどうにでもなる範囲であり、しかし円の外のこと、つまり結果は自分の意志ではどうにもならないことと同じなのです。ですから、忘れてしまってもそれは無視し、あきらめて、日付に横線を入れ、心を平静に保つようにしています。

　この「待ち伏せ勉強法」でのチェックのタイミングは、後半になると2ヵ月間隔になります。この時に忘れている項目は、次の2ヵ月後も忘れている確率が高いことが私の経験上、わかってきたので、現在では、

その項目については、新たに 10 日間隔でチェックする同じ内容のページを作って対応しています。最近はこの 10 日間隔のページが増えてきたように感じます。

　また、最後の日に忘れていたら、「再」のマークを記入して、1 ヵ月後に最初から始めます。今、流行りの AI を使えば、こんなことをしなくても、自動で個人個人の忘れ間隔を決めてくれるのではないでしょうか。

「エビノート」には、本で読んだこと、英語の言い回し、数学、物理などなど、まぜこぜに書いていますが、寝ている間に頭が勝手に整理してくれるのか、全く混同することはありません。

　記憶があるから理解ができるのであり、記憶が全ての出発点になります。よく、「暗記だけではなく、考える力を付けるべき」と言われますが、基となる材料が記憶されていなければ、考えることもできません。考えるということは、記憶しているものをバラバラに分解したり、全く別のものと結び付けたりして、新しいものを見つけ出すことではないかと思います。個性

も創造性も、記憶の材料があってこそ初めて発揮されるものではないでしょうか。

　本を読んでいて、これはと思う項目に赤線を引いておき、何年かしてその本を読み返した時、赤線の項目を全く覚えていないことが多々ありました。私はそこで反省して、赤線を引くほど重要な面白い内容は、すぐ「エビノート」に書くようにしました。そうした知識や、人から聞いたりした情報を記憶に留めておくと、その知識同士が、寝ている間にまるで脳内で発酵して、新しい酒のようなものができる可能性があるような気がします。これが「創造」と言われるものではないかと思うのです。

　ここで思い出しましたが、私が塾で教えている子供たちの中に、こんな子がいました。
「僕は幕末の時代に生まれたかった」
　と本気で思っているのです。
　また別の子は、英語のテストが来週に近づいてきた時に、
「あと１週間、時間が戻ればなぁ！」
　と本気で言っていました。私は２人に、

「それは不時着時の円の外のことだから、自分の意志ではどうにもならないこと。だから、そんなことを考えること自体が無駄だよ」

と言いましたが、理解できないようでした。

自分の生まれた環境、時代はどうすることもできません。さらに、過ぎた時間をさかのぼることも不可能です。不可能なことを考えることは、時間の無駄遣いです。

この「待ち伏せ勉強法」も、やがて限界が来ます。予定の項目をこなして、時間があれば新しい項目を追加するのですが、やがては決められた項目を確認するだけで精一杯となり、新しい項目を追加できなくなります。でもこれは、自分の限界がわかったということであり、遂に限界までやったのだと自分を褒めて、あきらめることです。限界まで自分が来たことで、今まで知らなかった自分に出会ったことになります。ひょっとしたら、自分の潜在能力の発見になるかもしれません。

あきらめる、ということで思い出しましたが、私の車の話です。15 年ほど乗っていますが、エンジンそ

の他は快調で、今まで50年間いろいろな車に乗って
きましたが、この車は問題の少ないことでは群を抜い
ていました。

　しかし、ある時の車検で塗装に不具合が見つかりま
した。フードとルーフの塗装が剥がれて、下地が見え
てきて、ルーフには赤錆が一部、出ていました。この
件をディーラーの人に話し、「これは製造ミスでは？」
と問いかけましたが、対応してくれませんでした。製
造元にフィードバックはできても、塗装の補償期限は
３年なので修理は無理とのことでした。

　私はここで、自分にできることは何かを考え、ディー
ラーの会社の社長に、手紙と不具合部分の写真を送り
ました。同じ内容のものを製造元の社長にも送りまし
たが、どちらからも何の反応もありませんでした。

　車検後、半年の点検の通知が来たので、私は再び自
分のできることは何かを考え、ディーラーの本部の人
で塗装に詳しい専門家の立ち合いを依頼し、私の車を
実際に確認してもらいました。しかし、経年劣化であ
るとの意見で、私の「製造元のミスではないか？」の
質問には、「わからない」との回答でした。

　製造元にフィードバックすることを約束してもら

い、ディーラーの店長が赤錆の対策をしてくれ、その
場は終わるところでしたが、私はどうしても納得でき
ませんでした。塗装の構造は一般に下塗、中塗、上塗
の３層で、赤錆が出たのは下塗がないせいではと疑い、
実際に車の塗装を剥がすことにしました。すると急に
「この車は２層です」と書類を見せてきました。実際
に剥がすと下塗と上塗の２層でした。中塗がないので
す。そして問題は何故２層にしたのかということです。

　私の目的は、製造元が年間の保証期間のルールに縛
られることなく、現実を直視してくれることです。そ
の結果の対応は、例の「円の外のこと」なので気にし
ません。他に私にできることはないか、に知恵を絞る
だけです。

　飛行機で長距離を飛ぶ時は、「飛行計画書」を提出
しなければなりませんが、その時、いつも不思議に思
うことがありました。目的地までの風の方向と速度の
データを気象庁からもらうのですが、いつも秒速の
データしか提供してくれないのです。仕方なく秒速の
データに3.6をかけて時速に直していました。飛行
機は時速で飛ぶので、風速も時速でないと、目的地の

到着時刻の予測ができません。気象庁へ時速のデータを何度依頼しても、「前例がない」との回答でした。我々飛行機野郎は3.6の掛け算を飛行計画書提出時に毎回やっているのです。

　しかし、驚いたことに、気象庁は米軍には風速を時速で提供しているそうなのです。元零戦のパイロットに聞いたら、零戦は海軍機だったため、風速はノットの時速で提供されていたとのことでした。

　現在、天気予報では風速を秒速で表示していますが、天気の変化の原因は地球の自転による偏西風です。この偏西風の風速は時速約200kmです。高校野球のピッチャーの投げる球の速度は速い人で時速150km、新幹線の速度は時速300km、自動車の高速道路での速度は時速80km、なぜ風速だけが秒速なのか、全く理解できません。風速50mより風速180kmの方が、はるかに感覚がつかめませんか？

「はじめに」にも書きましたが、一般に勉強法を書く人は、生まれつき人より優れて記憶力が良いか、勉強の意欲が強いか、またその両方の人たちです。ですから私のような凡庸な人間には、そのような人の方法は

ほとんど役に立ちません。

　私が20代後半の頃に気づいた、この「待ち伏せ勉強法」は単純です。勉強の最大の壁である「始める」ことを簡単に突破できます。さらに、忘れた時のむなしさも、繰り返しのタイミング調整で軽減できます。

　毎日の勉強ができない理由を探せば、誰でもたくさん出てくるでしょう。「今日は体調が悪い」「他にやることがある」「見たいテレビがある」などなど……。そうした場合でも、まずは「エビノート」に今日の日付を書いて、新知見を問題形式で書いて、答は裏のページに書きましょう。とにかく、まず始めることです。

　自分の興味のあることや、やらなければならないことを、この勉強法によって記憶に留めれば、繰り返しになりますが、記憶した項目同士が、あなただけに造られたあなただけの頭脳の中で発酵し、新しい関連を発見することが期待できます。

おわりに

「百聞は一見に如かず」という諺がありますが、これには続きがあり、その中に「百見は一行に如かず」という言葉があります。

確かに、戦記物の本を読んで疑問を持ち、ならば飛行機を見て、遂に自分で操縦までしてみると、体験の記憶、これは頭というより体が覚えてしまうということがよくわかりました。しかし、これとてもきっかけは、やはり本からの記憶が起点になっています。

その記憶を確かなものにするのは、繰り返し記憶するということだと考えられます。全ては記憶からです。

私の失敗談ですが、調布飛行場へ練習に行っている時に、参議院選挙の立候補者が来るとのことで、関係者が集まっているところに見に行くと、小柄な紳士が演説を始めました。あとになって、その人がなんと源田実氏であったことがわかり、悔しい思いをしました。

源田実氏はハワイ真珠湾攻撃の参謀で、またミッドウェー海戦にも参加していた実戦経験者であり、さらに、紫電改部隊を指揮して、その部隊は「源田サーカ

ス」とも呼ばれた人でした。この源田氏に直接、日本の敗戦の原因を聞いた人の話も読んだことがあります。その時、源田氏は、「日本がネルソン精神を忘れたことにある」と答えたそうです。

　これらの本からの情報をきちんと記憶していれば、調布飛行場で源田実氏を見た時に、もっと違う印象や感動を受けられたことでしょう。本で読んで「これは！」と思うことは記憶しなければ役に立たないということを実感しました。そのためには、やはり繰り返し記憶することが大切なのです。

　※ネルソンは、アメリカ独立戦争やトラファルガー
　　海戦などで活躍したイギリス海軍の提督。ネルソン
　　精神とは、「敵を見たら他のことは何も考えず、と
　　にかく攻撃し続ける」という精神のこと。

　私は2019年6月に、ベネチアを起点にアドリア海を南下する船旅に参加しました。例のレパントの海戦のあった場所を通過しましたが、海は驚くほど穏やかで、島々は呆れるほど緩やかなカーブを描き、約450年前に激しい戦闘があったとは思えない景色でした。これも、本で読んだレパントの海戦の話を記憶

していたおかげと考えます。

　孔子の『論語』に「これを知る者はこれを好む者に如かず、これを好む者はこれを楽しむ者に如かず」という言葉があります。その言葉どおり、楽しみながら待ち伏せ勉強をすることをお勧めします。そして、予想もしていなかった自分発見をしてください。

　最後に、無駄な考えをしないために、私の好きな言葉の中から、ドイツの軍人の言葉を紹介します。

「神よ、我にできないことをあきらめる平静な心を与えたまえ。そして、できることをおこなう勇気を与えたまえ。そして、できることと、できないことを見分ける知恵を与えたまえ」

著者プロフィール

浜口 哲朗（はまぐち てつろう）

1943年（昭和18年）兵庫県淡路島に生まれる。
1966年（昭和41年）慶應義塾大学工学部卒業後、関東自動車工業㈱に入社。技術部、工場、品質保証部を経て、2003年（平成15年）1月、定年退職。
既刊書に『太平洋戦争の敗因と対策』（2004年　文芸社刊）がある。

凡人の提案する自分発見の「待ち伏せ勉強法」

2022年1月15日　初版第1刷発行

著　者　　浜口 哲朗
発行者　　瓜谷 綱延
発行所　　株式会社文芸社
　　　　　〒160-0022　東京都新宿区新宿1−10−1
　　　　　　　　　　電話 03-5369-3060（代表）
　　　　　　　　　　03-5369-2299（販売）

印刷所　　株式会社フクイン

ISBN978-4-286-23202-7